まあくんは雨がすき

笹村 美穂子

小鳥編集室

もくじ

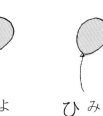

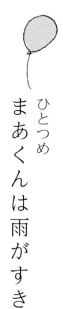

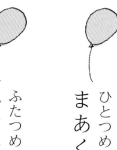

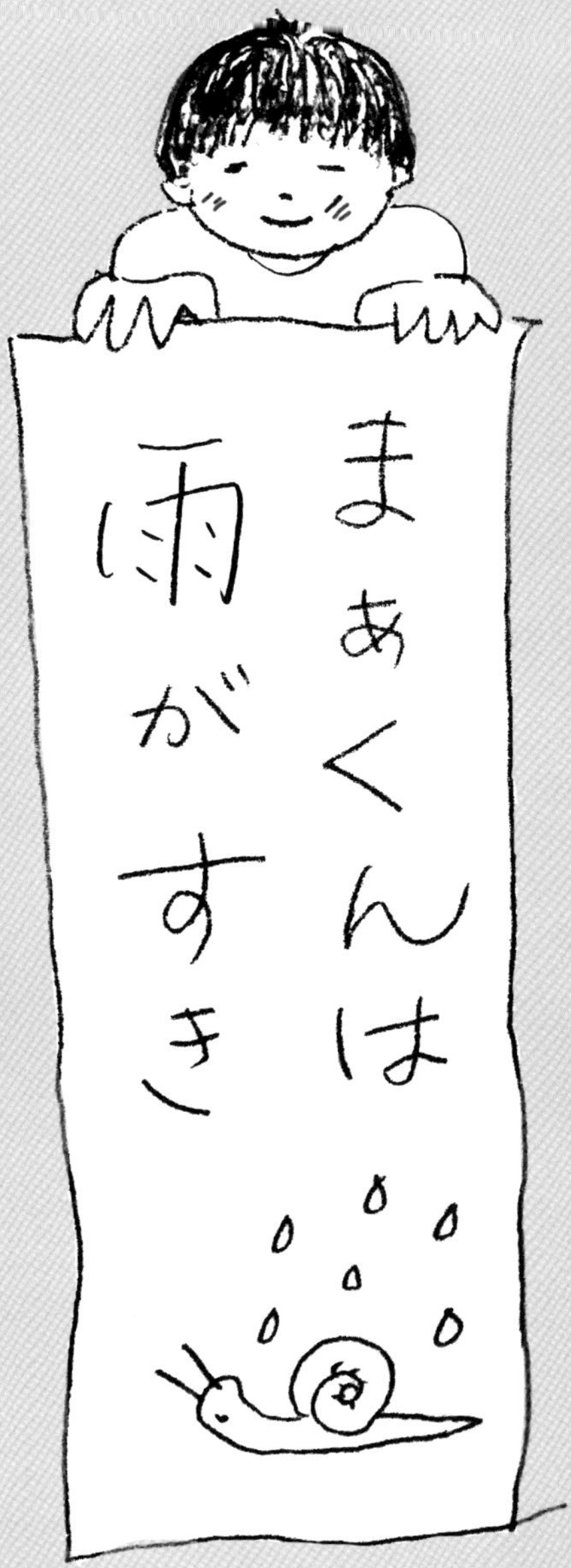
まぁくんは
雨がすき

まあくんは雨《あめ》がすき。明日《あした》も雨《あめ》がふりますように、って思《おも》いながら、まあくんはずっと外《そと》を見《み》ています。明日《あした》は4才《さい》のおたんじょう日《び》です。

まあくんが生《う》まれたときは、すごい大雨《おおあめ》だったそうです。雨《あめ》が大《おお》きな音《おと》を立《た》ててザーザーふっていたそうです。まるで雨《あめ》がおおぜいで「おめでとう！　おめでとう！」って言《い》っているみたいに。

おたんじょう日《び》はいつも雨《あめ》でした。まあくんは明日《あした》4才《さい》になるのに、お話《はな》しできません。生《う》まれてからいちどもお話《はな》ししたことがないのです。まあくんのお父《とう》さん、お母《かあ》さん、お姉《ねえ》ちゃんは、まあくんの気《き》持《も》ちがなんでもわかるので、こまることはありません。でも、お友《とも》だちはいません。そのかわり、雨《あめ》がふっ

たとき、いろいろな音《おと》がまあくんにお話《はな》ししてくれます。

雨《あめ》の音《おと》はいろいろです。大雨《おおあめ》はおにわのすみっこのバケツにとびこんで、ガラガラ大《おお》さわぎ。みんなをびっくりこわがらせます。風《かぜ》といっしょにビュービューあばれて、かさやぼうしをとばしてみんなをこまらせたりもします。

それから、森《もり》や野《の》原《はら》や畑《はたけ》には元《げん》気《き》になるようにって、だれにも気《き》づかれないように、ないしょ話《ばなし》しているみたいにそおーっ

とやさしくふることもあります。まあくんはまどにくっついて外《そと》の雨《あめ》を見《み》ています。
（明日《あした》もいっぱい雨《あめ》がふりますように）
そう思《おも》いながらベッドに入《はい》りました。

朝《あさ》になりました。

（あれえ！！　雨《あめ》止《や》んじゃった……）

ちょっとかなしくなっちゃったまあくんに、お姉《ねえ》ちゃんが言《い》いました。

「まあくん！　雨《あめ》のないおたんじょう日《び》ははじめてね！　今日《きょう》はきっととくべつなおたんじょう日《び》

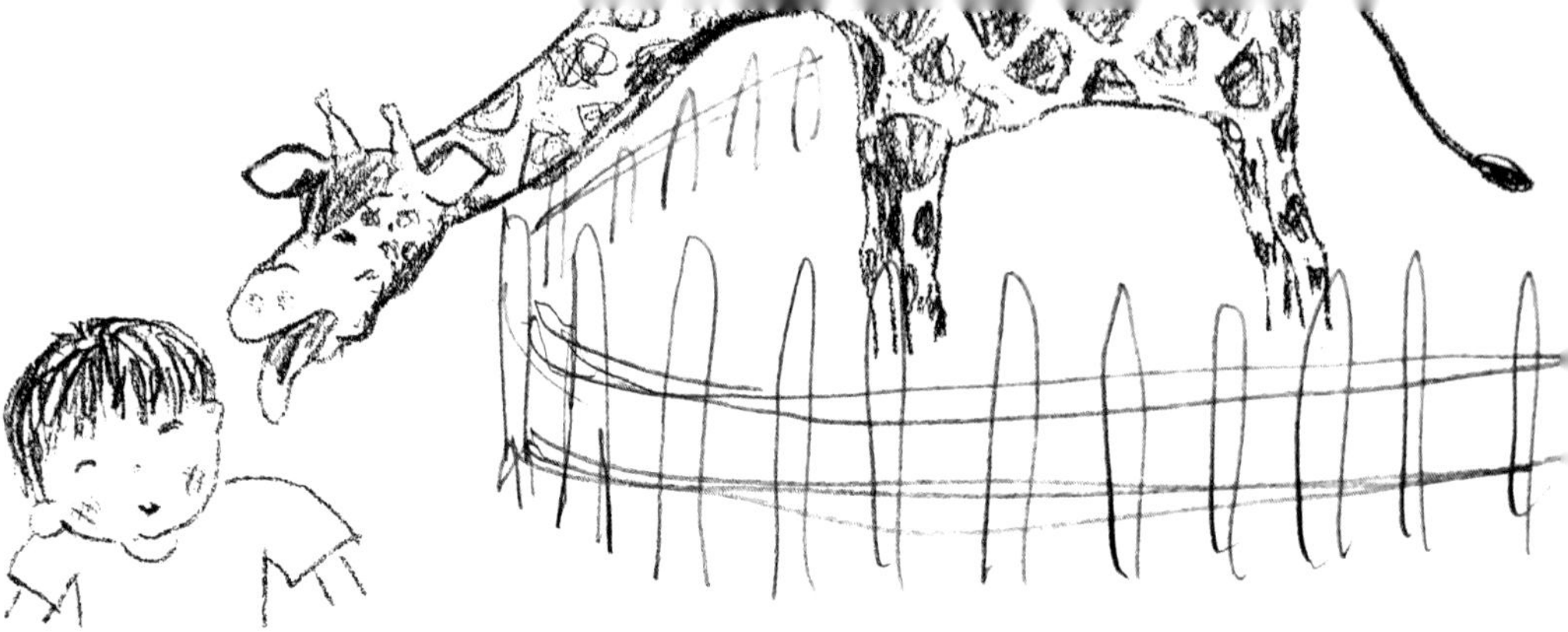

かもよ！　ふたりでどうぶつえんに行《い》きましょっ！」

まあくんのおうちは、どうぶつえんのすぐそばにあるのです。お母《かあ》さんに言《い》うと、

「それはいいわね！　でも、３時《じ》には帰《かえ》るのよ。みんなでおたんじょう会《かい》しますからね」

そう言《い》いながら、まあくんの赤《あか》いリュックサックにおべんとうを入《い》れてくれました。

どうぶつえんには、どうぶつたちがいっぱいいます。のっぽのキリンさんがフェンスのむこうがわから長《なが》い首《くび》をまげて、

「ようこそ、いらっしゃい！ まあくん4才《さい》のおたんじょう日《び》おめでとう!!」

って言《い》いながら、まあくんのほっぺをペロペロ。くすぐったくてうれしいまあくんです。

つぎに声《こえ》をかけてくれたのは、かんろくのあるじいさんゴリラです。

「おたんじょう日《び》だね！ ハッピーバースディ!!」

だいすきなバナナをプレゼントしてくれました。

そのつぎに出会《であ》ったのは、いつもはギョロギョロ目《め》玉《だま》のワニさん。ギョロギョロ目《め》玉《だま》はなみだでいっぱいです。

「虫歯《むしば》がいたくて、たまらないんだよーっ。なにも食《た》べられないんだよーっ」

なみだをボロボロこぼしてないています。

まあくんは、ワニさんのお口《くち》をのぞきこみ、それから手《て》をのばして、ワニさんのおでこをそおーっとなでなでします。そして、

「いたいの、いたいの、とんでけえー」

ってしました。まあくんがころんだとき、

お母《かあ》さんがいつもやってくれるみたいにね。それから、じいさんゴリラにもらったバナナを半分《はんぶん》あげました。

「ワニさん、バナナはやわらかいから、歯《は》がいたくても食《た》べられるよ」

って言《い》いながら。

お姉《ねえ》ちゃんはもうびっくりのれんぞくです。どうぶつがお話《はな》ししていたり、みんながまあくんのおたんじょう日《び》を知《し》っていたり。なによりびっくりしたのは、まあくんがお話《はな》ししていたことです。

「いったい今日《きょう》はどうしたのかしら？」

なんだかドキドキが止《と》まらないお姉《ねえ》ちゃんの耳《みみ》に、

「こっちへおいでよ」

って、だれかがよぶ声《こえ》がしました。キョロキョロまわりをさがすと、木《き》のねもとにかたつむりがいました。

「かたつむりさんが呼《よ》んだの？」

　って聞《き》くと、

「そうだよ。もっと近《ちか》くにおいで」

　ふたりはかたつむりのそばにしゃがみました。すると、

「わあ!!」

　急《きゅう》にかたつむりが大《おお》きく大《おお》きくなったのです。お姉《ねえ》ちゃんはもう、なきそうです。でも、

「ないている場《ば》合《あい》じゃないわ。こわくても、わたしがまあくん

をまもるんだ。しっかりしなくちゃ……」

がんばって、おちついてまわりを見《み》まわしました。そして、気《き》がついたのです。

「かたつむりさんが大《おお》きくなったんじゃないんだわ。わたしとまあくんが小《ちい》さく小《ちい》さくなっちゃったみたい……。どうしよう……」

お姉《ねえ》ちゃんはこまってしまいました。そのとき、かたつむりが言《い》いました。

「わたしの中《なか》に入《はい》ってごらんよ」

そんなこと言《い》われても、お姉《ねえ》ちゃんはこわくてうごけません。なのに……まあくんったら、ひとりでどんどんかたつむり

の中《なか》に入《はい》って行《い》きます。お姉《ねえ》ちゃんがあわててまあくんをおいかけて行《い》くと、中《なか》はぐるぐるのらせんかいだんでした。まわりはすき通《とお》っていて、外《そと》が見《み》えます。かたつむりはふたりをのせて、ゆっくりゆっくり歩《ある》きだしました。ゆらゆらゆれています。雨上《あめあ》がりのどうぶつえんの木立《こだち》はとてもきれいです。はっぱのしずくがたいようの光《ひかり》をうけて、すきまからキラキラ光《ひか》りながらおちていきます。木《き》も草《くさ》も花《はな》も、雨《あめ》をすいこんで元気《げんき》いっぱいです。はじめはこわくてふるえていたお姉《ねえ》ちゃんも、雨《あめ》にぬれたはっぱがキラキラかがやいている様子《ようす》や、木《き》のすきまからさしこんでくる光《ひかり》に見《み》とれて、いつの間《ま》にかこわいのをすっかりわすれてしまいました。

「さあ、ついたよ！」

かたつむりに言《い》われて外《そと》に出《で》ると、広《ひろ》くて明《あか》るい原《はら》っぱです。むこうのほうであそんでいた子《こ》どもたちがあつまってきました。

「いっしょにあそぼうっ!!」

まあくんはすぐにみんなの中《なか》に。お姉《ねえ》ちゃんはかたつむりに聞《き》きます。

「かたつむりさん、どうぶつえんの中《なか》に、こんな原《はら》っぱがいつできたの?」

かたつむりが答《こた》えます。

「いつもすぐ近《ちか》くにあるのに、だれも気《き》がつかない、ひみつの原《はら》っぱなんだよ」

まあくんはみんなととても楽《たの》しそうにあそんでいます。おしくらまんじゅうしたり、おにごっこしたり、じゃんけんぽんあっちむいてほいしたり、歌《うた》を歌《うた》ったり、とってもとってもうれしそうです。

そのとき、雲《くも》がムクムクッとうごいて、雲《くも》の間《あいだ》から雨《あま》つぶがひとつ、おちてきました。そして、原《はら》っぱであそんでいるみんなのまんなかに、パアーッと光《ひか》りながらとびちりました。すると、かたつむりが、

「さあ、お昼《ひる》ごはんの時《じ》間《かん》だよ」

って言《い》いました。みんなでまあるく、わになってすわります。楽《たの》しいおべんとうの時《じ》間《かん》です。まあくんも赤《あか》いリュックサックからお

べんとうを出《だ》します。おべんとうを食《た》べながら、まあくんはみんなとお話《はな》ししています。雨《あめ》がだいすきなことや、いつも雨《あめ》のお話《はなし》を聞《き》いていること。さっき歯《は》がいたくてないていたワニさんに、

「いたいの、いたいの、とんでけえー」

ってして、じいさんゴリラにもらったバナナをあげたこと。

ほかの子《こ》どもたちも、今日《きょう》がおたんじょう日《び》なんだって。そして、ひとりでいるとき、かたつむりに会《あ》って、ここにつれて来《き》てもらったことをお話《はな》ししてくれました。そう。かたつむりがつれて来《き》た子《こ》ども

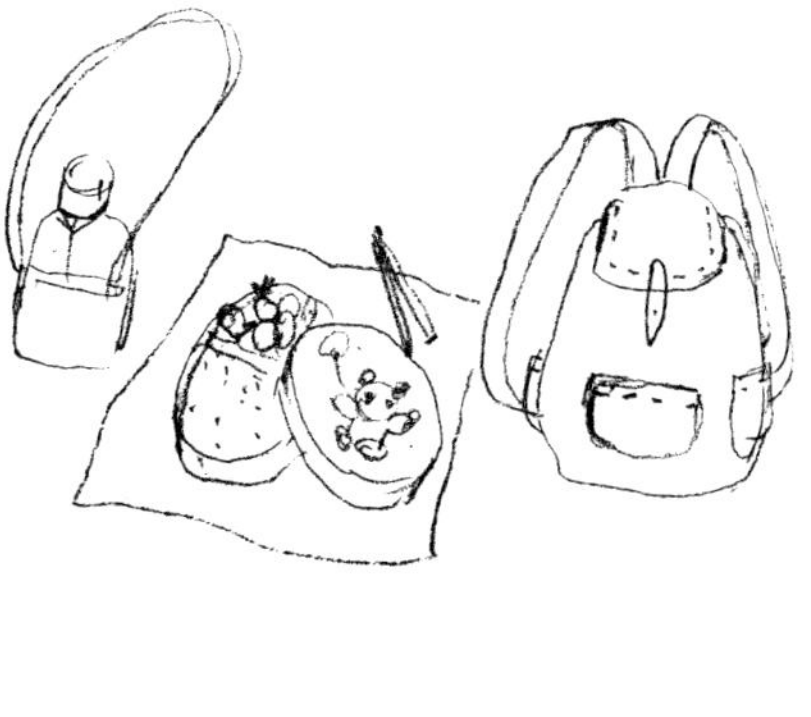

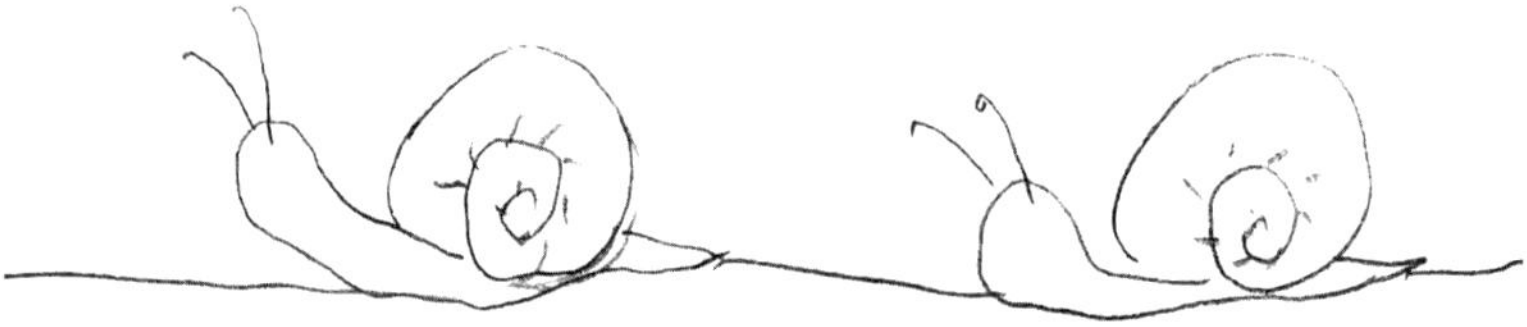

たちは、みんなお話《はな》しできない子《こ》どもたちで、お友《とも》だちがいない子《こ》どもたちでした。お友《とも》だちとあそんだり、お話《はな》ししたりするのは、みんなはじめてでした。だから、すごくすごくうれしかったのです。

お姉《ねえ》ちゃんは、ふと、お母《かあ》さんとのやくそくを思《おも》い出《だ》しました。

「かたつむりさん、今《いま》、何時《なんじ》ですか？」

「もうすぐ3時《じ》だよ」

「わあ、たいへん!! お母《かあ》さんに、3時《じ》に帰《かえ》るってやくそくしたの」

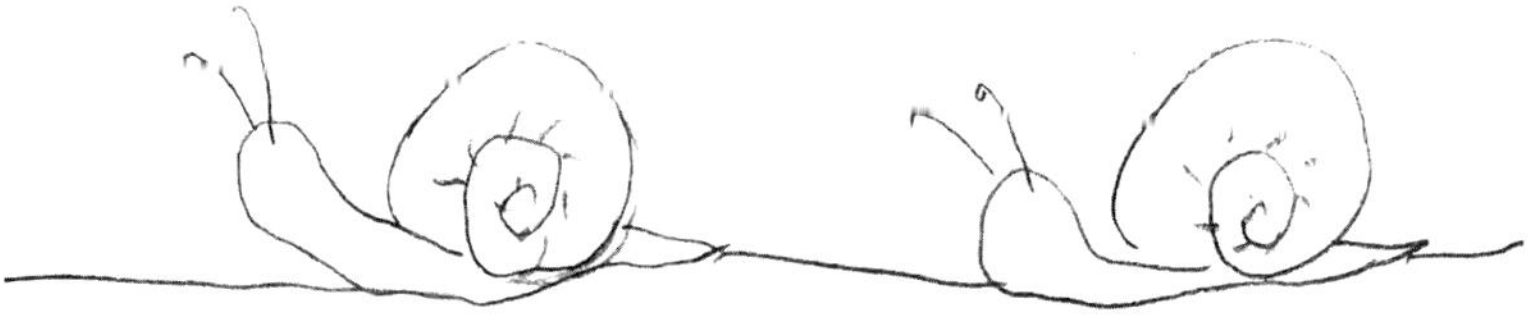

お姉《ねえ》ちゃんとまあくんは、あわてててみんなにさよならします。お姉《ねえ》ちゃんは、もっとあそびたいまあくんの手《て》をひっぱってかたつむりの中《なか》へ。ほかの子《こ》どもたちもバラバラになって、ここにつれて来《き》てくれたかたつむりの中《なか》へ。

「さようなら」

さようなら

さようなら……

みんなの声《こえ》が遠《とお》くなっていきます。

ゆっくり、のっそりすすみはじめたかたつむりに、

お姉《ねえ》ちゃんが言《い》いました。

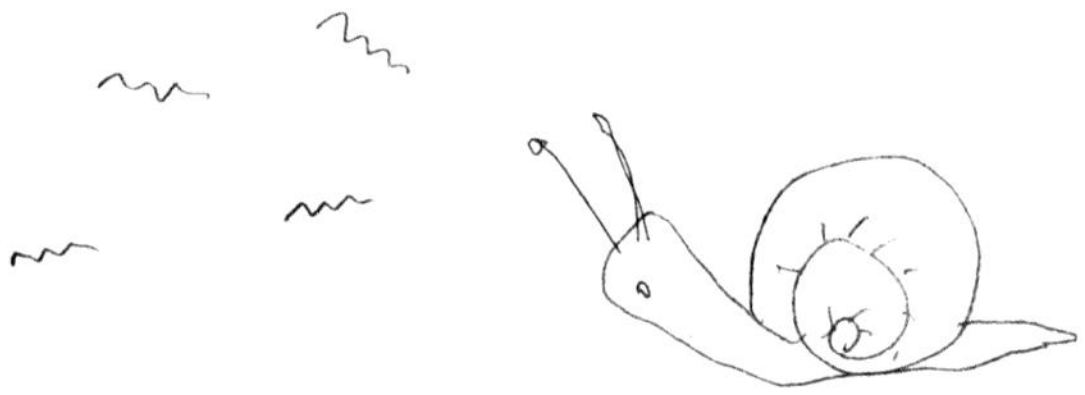

「ねえ、かたつむりさん。わたし、こんなに楽《たの》しそうなまあくん、はじめて見《み》たわ。お父《とう》さんやお母《かあ》さんに話《はな》したらきっとびっくりするわ」
するとかたつむりがあわてて言《い》いました。
「おっと。大切《たいせつ》なことを言《い》っておくよ。どうぶつとお話《はな》ししたり、お友《とも》だちと遊《あそ》んだりして、今《いま》、まあくんの心《こころ》の中《なか》は楽《たの》しいことでいっぱいなんだ。でもね、ここで出会《であ》ったことは、ぜったいに〝ひみつ〟にしなくてはいけないんだよ。話《はな》せなくてお友《とも》だちのいない子《こ》どもたちに、話《はな》せなくても心《こころ》でお友《とも》だちになれるんだよって教《おし》えてくれる、うちゅうからの大《おお》きなプレゼントなんだ。どうぶつとも心《こころ》でわかり合《あ》えるし、お友《とも》だちってこんなにいいものだって感《かん》じさせてくれるプレゼントなんだよ。このときはいつくるか、この場《ば》所《しょ》はどこにできるか、それはだれにもわからない。そのときがくると、あちこちのかたつむりの角《つの》のアンテナに子《こ》どもたちをつれて来《く》るようにしれいがくるんだ。そうすると、かたつむりはそうげいバスになって、子《こ》どもたちをあんないするんだよ」

かたつむりのお話《はなし》はつづきます。

「お姉《ねえ》ちゃんは話《はな》せるし、お友《とも》だちもいるのに、まあくんにくっついていたから、まちがえてつれて来《き》てしまったんだ。だから、お姉《ねえ》ちゃんのことは、ほかの子《こ》どもたちからはまったく見《み》えていなかったんだよ。このすてきなプレゼントは、だれかに知《し》られると永《えい》遠《えん》にわすれられてしまうんだ。まあくんやほかの子《こ》どもたちの楽《たの》しい思《おも》い出《で》も、すっかりきえてしまうんだよ。だからね、お姉《ねえ》ちゃん、だれにも話《はな》してはいけない〝ひみつ〟なんだよ……おや、そろそろおわかれのようだ」

かたつむりが言《い》うと、ふたりがかたつむりと出《で》会《あ》った木《き》のねもとにつきました。ぐるぐるらせんかいだんをおりて外《そと》に出《で》ました。お姉《ねえ》ちゃんが、

「かたつむりさん、ありがとう！」

って言《い》いおわらないうちに、かたつむりは小《ちい》さくなってしまいました。そう、お姉《ねえ》ちゃんとまあくんが、元《もと》の大《おお》きさにもどったのです。お母《かあ》さんとのや

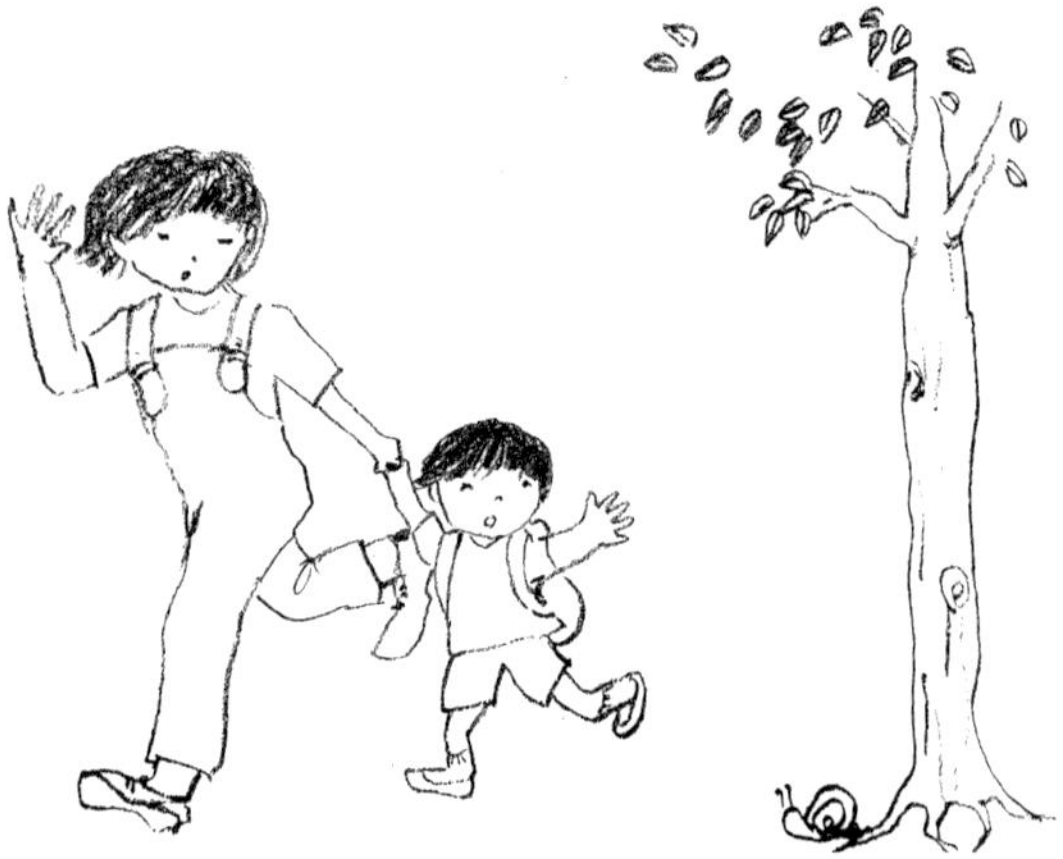

くそくは3時《じ》です。まあくんと手《て》をつないで走《はし》っておうちに帰《かえ》ります。

「ただいまあ!!」

テーブルにはおたんじょう日《び》のケーキやプレゼント、まあくんのすきなものがいっぱいです。お母《かあ》さんがまあくんに聞《き》いています。

「まあくん、どうぶつえん楽《たの》しかった?」

まあくんの思《おも》いっきりのニコニコ顔《がお》がおへんじです。お姉《ねえ》ちゃんは、今日《きょう》のこと、お母《かあ》さんに言《い》いたいことがいっぱいなのに、すごくがんばって、

「楽《たの》しかったね、まあくん」

しか言《い》いませんでした。言《い》いたくてたまらないけど、がまんしました。

その日《ひ》から、まあくんはいろいろなものがすきになりました。雲《くも》や風《かぜ》や光《ひかり》。鳥《とり》や犬《いぬ》やねこや毛《け》虫《むし》やみみずだって。お話《はな》しできなくても、お友《とも》だちになれるってわかったから。まあくんのニコニコ顔《がお》がふえました。

5才《さい》になった今《いま》も雨《あめ》がだいすきです。お日《ひ》さまも青空《あおぞら》もだいすきです。雨《あめ》が止《や》んで、おにわでかたつむりを見《み》つけると、お姉《ねえ》ちゃんをよびに来《き》ます。あの日《ひ》のこと、まあくんはちゃんとおぼえています。お姉《ねえ》ちゃんは、〝ひみつ〟をまもっています。

しきたりすずめ

すずちゃんは、赤《あか》いリボンがとてもよくにあうかわいい女《おんな》の子《こ》です。乳歯《にゅうし》*がぬけたとき、おとなりのおばあさんに教《おし》えてもらったとおりに、下《した》の歯《は》はやねの上《うえ》に、上《うえ》の歯《は》はえんの下《した》になげました。

「じょうぶな歯《は》が生《は》えますように」

って言《い》いながら。

いっしょにいたお友《とも》だちのゆかちゃんが、

「どうしてそんなことするの？」

って聞《き》きました。

「むかしからのしきたりなんだって」

ってすずちゃんが言《い》うと、また、

＊赤《あか》ちゃんのときに生《は》えた歯《は》。大《おお》きくなるにつれて大人《おとな》の歯《は》になります。

「しきたりってなあに？」

って。

「うーん、こうするんだよっていう、むかしからのきまりのこと」

するとゆかちゃんが、

「むかし話《ばなし》の『舌切《したき》り雀《すずめ》』みたいだね。これからはすずちゃんをしきたりすずめってよぼう！」

って言《い》いました。

ほかのお友《とも》だちもみんな、すずちゃんを「しきたりすずめ」ってよぶよう

になりました。

おうちに帰《かえ》ってお母《かあ》さんに話《はな》すと、楽《たの》しそうにわらいました。そして、

「じゃあ、もっとたくさん、しきたりをさがさなくちゃね」

って言《い》いました。

つぎの日《ひ》、お母《かあ》さんとお買《か》いものに行《い》くとき、黒《くろ》いれいきゅう車《しゃ》*を見《み》ました。お母《かあ》さんが親《おや》指《ゆび》を手《て》の中《なか》に入《い》れてグウをつくりました。お母《かあ》さんが子《こ》どものころ、みんなでやっ

＊なくなった（しんだ）人《ひと》を大切《たいせつ》にはこんでくれる車《くるま》。黒《くろ》くて大《おお》きい車《くるま》や、美《うつ》しくかざられた車《くるま》もあります。

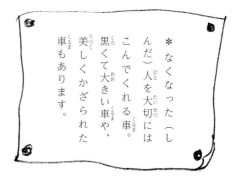

ていたんですって。親《おや》（お父《とう》さんやお母《かあ》さんのこと）をしっかりまもって大切《たいせつ》にしましょう、ということみたい。

夜《よる》、すずちゃんはねる前《まえ》に、つめがのびてしまったことに気《き》がついて、

「お母《かあ》さん、つめ切《き》りして」

って言《い》ったら、

「夜《よる》、つめ切《き》りすると、おばけが出《で》るよ。明日《あした》にしましょう。夜《よる》は見《み》えにくくて、小《ちい》さなつめが目《め》にとびこんだらあぶないから、朝《あさ》になってから切《き》りましょうっていうことよ。むかしはでんきがなくて夜《よる》がもっとくらかったから、本当《ほんとう》にあぶなかったの」

「ふうーん、むかしの人《ひと》って、おもしろいね」

お友《とも》だちとじゃんけんしたとき、「さいしょはグウ!!」

これって新《あたら》しいしきたりかもって、すずちゃんは気《き》がつきました。じゃんけんがバラバラにならないように「さいしょはグウ！」で合《あ》わせているんだね。しきたりって、おもしろいね。

昔話《むかしばなし》の 舌《した》切《き》り雀《すずめ》とは……

むかし、むかし、おじいさんと、おばあさんがいました。ある日《ひ》、おじいさんがるすのとき、おじいさんがかわいがっていた子《こ》すずめがいたずらをしたので、おこったおばあさんは子《こ》すずめの舌《した》を切《き》ってしまいました。子《こ》すずめはいたくてなきながらにげていきました。帰《かえ》ってきたおじいさんは、子《こ》すずめがしんぱいで、あちこちさがしまわってようやく会《あ》えました。子《こ》すずめは、おじいさんに会《あ》えてよろこび、おじいさんを〝すずめのおやど〟につれて行《い》って

ごちそうしたり、楽《たの》しいことをたくさんしたりして、おわかれにりっぱなうれしいおみやげをくれました。

それを聞《き》いたおばあさんも、おみやげがほしくて〝すずめのおやど〟に行《い》って、おわかれによくばって一《いち》番《ばん》大《おお》きいおみやげをもらってきました。あけてみると、中《なか》にはきたないものやこわいものがいっぱい入《はい》っていました。

おばあさんは、子《こ》すずめをいじめたうえに、よくばったから、ひどい目《め》にあってしまいました、というお話《はなし》です。

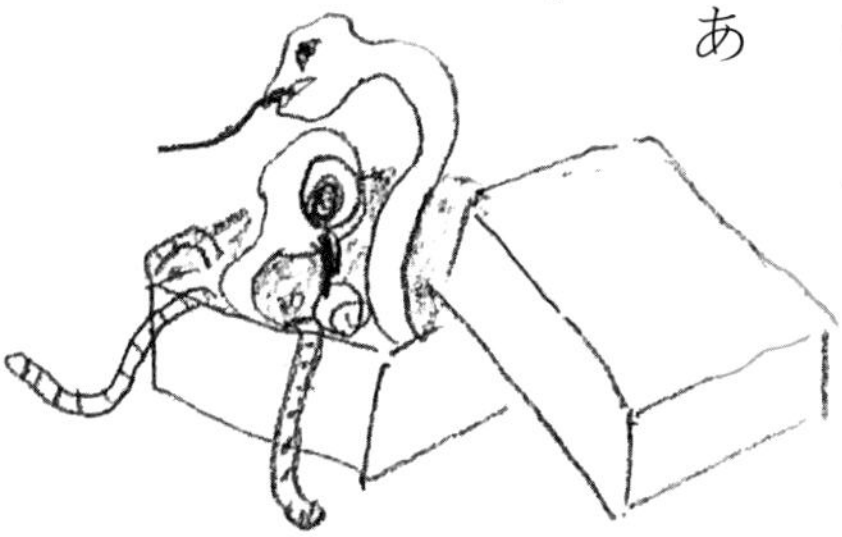

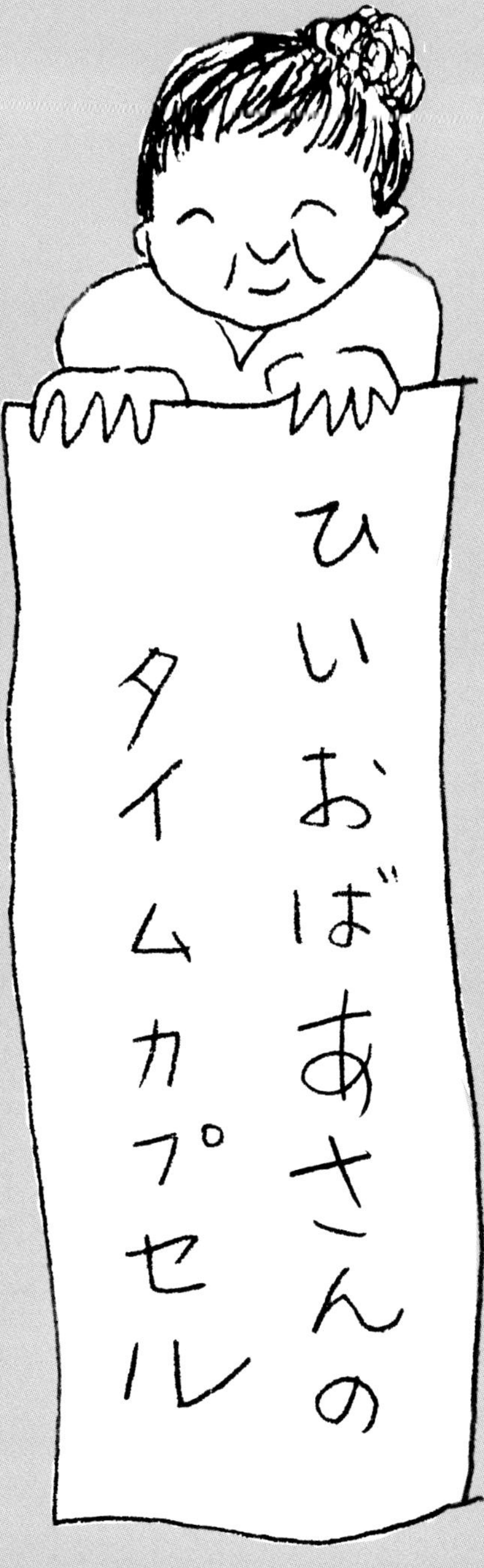
ひいおばあさんの
タイムカプセル

お母《かあ》さんのお母《かあ》さんは、おばあさん。おばあさんのお母《かあ》さんは、ひいおばあさんっていいます。

みいちゃんは、夏《なつ》休《やす》みにひとりでいなかのひいおばあさんの家《いえ》におとまりに来《き》ています。

ひいおばあさんは、お年《とし》よりなので、なんでものんびりのんびりです。ゆっくりだけれど、なんでもできます。いろいろなお話《はな》しをしてくれます。なんでも教《おし》えてくれます。

ふたりでテレビを見《み》ていたら、どこかの学校《がっこう》の

子《こ》どもたちが、10年《ねん》後《ご》にみんなでほり出《だ》そうって、ひとりひとり大切《たいせつ》なものを入《い》れたタイムカプセル*を運動場《うんどうじょう》のすみのさくらの木《き》の下《した》にうめているニュースをやっていました。それを見《み》たひいおばあさんが、

「おばあちゃんも子《こ》どものころ、ひとりでこんなことしたのよ」

って言《い》いました。

「タイムカプセル？」

「そんなことばは知《し》らなかったけれど、10才《さい》のとき、うめぼしのつぼにたからものを入《い》れて、神社《じんじゃ》

＊今《いま》、大切《たいせつ》にしているものや思《おも》っていることを書《か》いてカプセル（いれもの）に入《い》れて土《つち》の中《なか》にうめるもの。何年《なんねん》もたってからほりだしてみるんだよ。

にうめたの。すっかりわすれていたけれど、どうなっているかしらねえ……」
「おばあちゃん、みいちゃんと同《おな》じころに、タイムカプセルうめたんだね」
ひいおばあさんは83才《さい》です。つぼをうめてから73年《ねん》もすぎています。
「山《やま》のふもとの神社《じんじゃ》の長《なが》い石《いし》だんの、上《うえ》から3だん目《め》の右《みぎ》のはしっこの土《つち》の中《なか》。きっともう、つぼはわれてしまったわねえ……」

つぎの日《ひ》、ふたりでつぼを見《み》つけに行《い》くことになりました。

ひいおばあさんは、ゆっくりゆっくり歩《ある》くので、みいちゃんは先《さき》に行《い》ったりもどったり、手《て》をつないでいっしょに歩《ある》いたり。いなかの道《みち》は楽《たの》しいな、と思《おも》いながら。

神社《じんじゃ》につくと、長《なが》い石《いし》だんをのぼります。なんと50だんもありました。

上《うえ》から3だん目《め》の右《みぎ》のはしっこの土《つち》の中《なか》……。もってきた小《ちい》さなスコップでいっしょうけんめいほります。草《くさ》や木《き》のねがはっていて、土《つち》もかたくてなかなかほれません。ひいおばあさんもみいちゃんも、あせびっしょりです。それでも、がんばってほりつづけました。

ガキッ。スコップがつぼに当《あ》たったような音《おと》がしました。もう少《すこ》しがんばって、とうとうつぼをほり出《だ》しました。小《ちい》さな古《ふる》いつぼです。ひいおばあさんの目《め》は、ちょっとうるうるしています。

「中《なか》はどうなっているのかな……？　なにが入《はい》っているのかな……？」

ひいおばあさんは、ずうっと前《まえ》のことなのでおぼえていません。つぼはどろだらけだったけれど、しっかりふたがしまっています。どこもこわれていませんでした。

「さあ、あけるよ！」

わくわくしながらふたを取《と》りました。中《なか》にはあめがつつんであった小《ちい》さな四《し》角《かく》い花《はな》もようの紙《かみ》。ひいおばあさんがつくった青《あお》いおりづる。ガラスのおはじき。おまもりぶくろの中《なか》には、5円《えん》玉《だま》。そして、

「大《おお》きくなったらびじんになりますように」

って書《か》いた紙《かみ》。

ひいおばあさんが、みいちゃんと同《おな》じ10才《さい》のころのたからものとねがいごとです。

みいちゃんは、つぼを大《たい》切《せつ》にもって歩《ある》きます。歩《ある》きながら、

「おばあちゃん、びじんになれてよかったね」

って言《い》うと、

「そうかしらね……」

って、ちょっとはずかしそうなひいおばあさんでした。

みいちゃんは、わたしはタイムカプセルになにを入《い》れようかな、って考《かんが》えています。わたしのたからものとねがいごとはなにかしら、って考《かんが》えています。

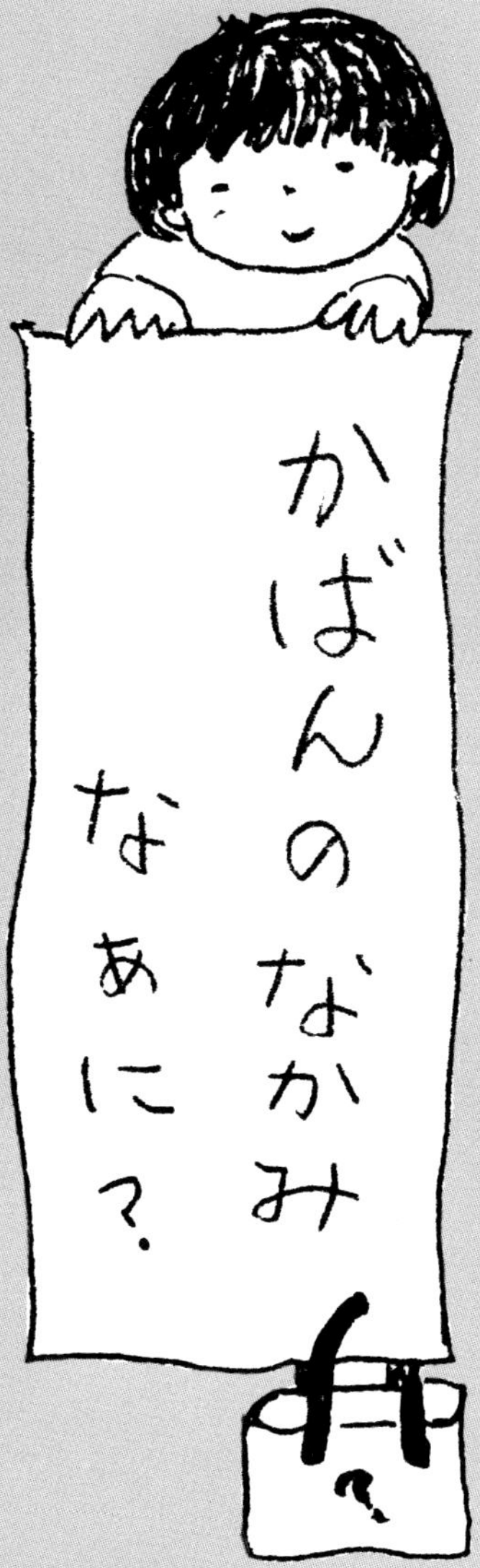
かばんのなかみ
なあに？

お母《かあ》さんとともちゃんが、ようちえんバスののり場《ば》に行《い》くとき、近所《きんじょ》のよし子《こ》お姉《ねえ》ちゃんに会《あ》いました。よし子《こ》お姉《ねえ》ちゃんが、お母《かあ》さんとともちゃんに、

「おはようございます」

と言《い》っておじぎをしたら、ランドセルをちゃんとしめていなかったので、ランドセルのなかみがバラバラと道《みち》におちてしまいました。教科書《きょうかしょ》、ふでばこ、ノート、ハンカチ、ティッシュ……いろいろです。

「わあっ！　いっぱい入《はい》っていたんだね！」

ともちゃんのようちえんバッグの中《なか》は、お手《て》ふきタオルとれんらくノートだけです。

ともちゃんは、ほかの人《ひと》のかばんのなかみが見《み》たくなりました。

いろいろな人《ひと》に、

「かばんのなかみ、見《み》せて！」

って言《い》いました。みんなびっくりするけれど、かわいいともちゃんに「おねがい！」って言《い》われると、ニコニコしながら見《み》せてくれます。

会社《かいしゃ》に行《い》くおしゃれなお姉《ねえ》さんのかばんの中《なか》には、お

バス

さいふ、ていきけん、スマホ、おけしょうひん、ボールペン、スケジュールノート、おりたたみがさ。それから、おうちのカギ。

高校生《こうこうせい》ののっぽのお兄《にい》さんの大《おお》きなかばんの中《なか》には、ぶあついおもそうな教科書《きょうかしょ》とノート、ふでばこ、たいそうふく。それから、大《おお》きなおべんとうばこ。

お買《か》いものに行《い》くときのともちゃんのお母《かあ》さんのかばんの中《なか》には、おさいふ、スマホ、ハンカチ、ティッシュ。そして、エコバッグとおうちのカギ。

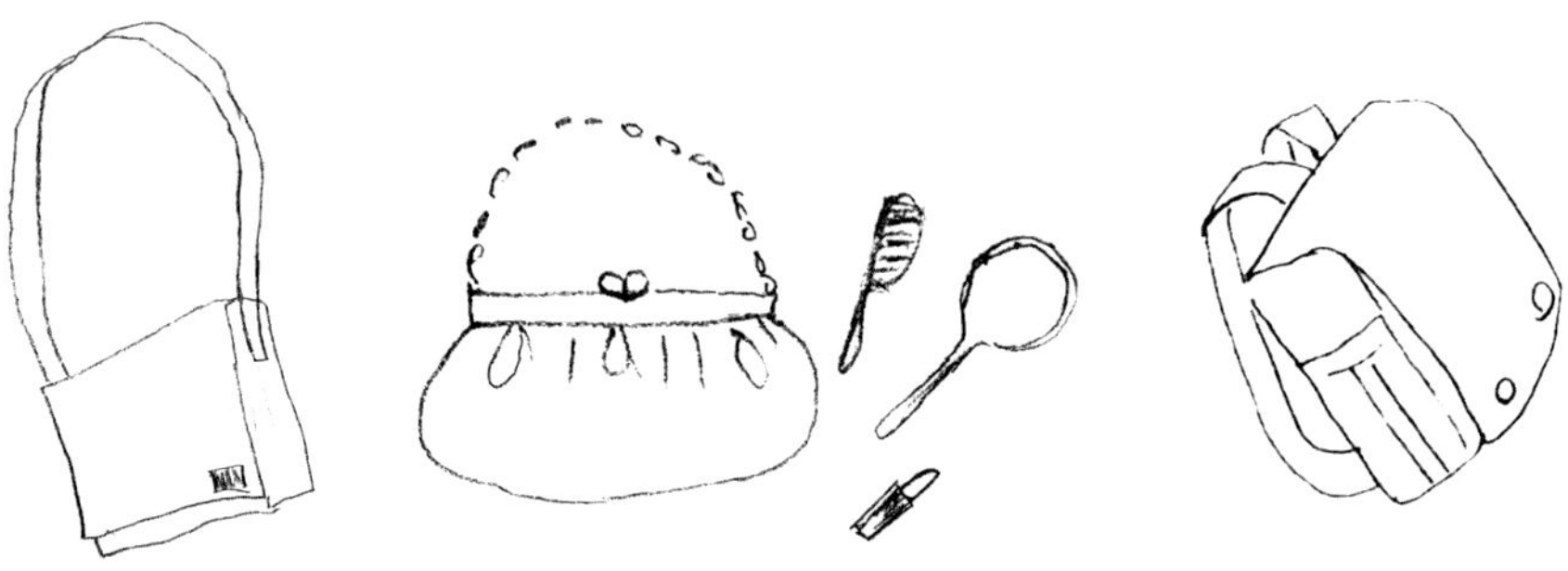

びょういんの前《まえ》で会《あ》ったおばあさんのかばんの中《なか》には、おさいふ、ほけんしょう、しんさつけん、シルバーパス、ハンカチ、ティッシュ。

それとおうちのカギ。

ともちゃんのお父《とう》さんが会《かい》社《しゃ》から帰《かえ》ってきました。

「おかえりなさあい！　かばんのなかみ、見《み》せて！」

大《おお》きなおもいかばんの中《なか》には、ノートパソコン、スマホ、手《て》ちょう、会《かい》社《しゃ》のしょるい、万《まん》年《ねん》筆《ひつ》、ボールペン、おさいふ、ていきけん、新《しん》聞《ぶん》。

本《ほん》当《とう》にたくさん入《はい》っていました。

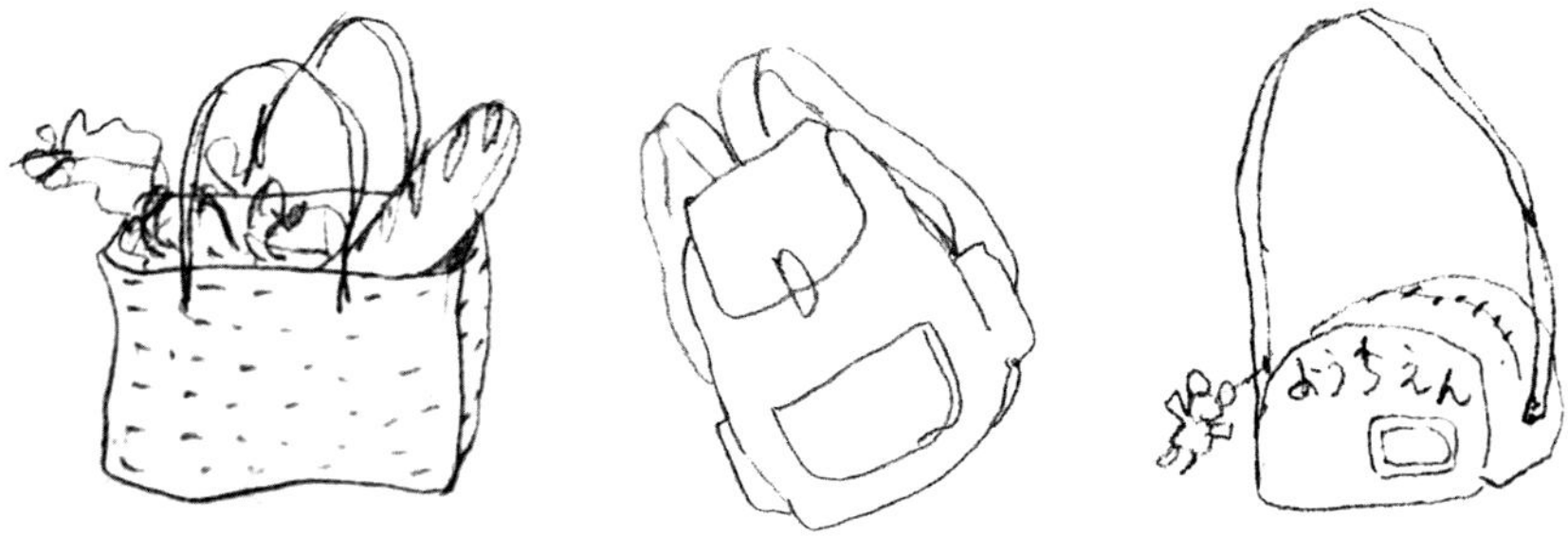

ともちゃんは小《ちい》さいから、かばんの中《なか》には少《すこ》ししか入《はい》っていないけれど、大《おお》きくなるといろいろなものをもってたいへんね……と思《おも》いました。

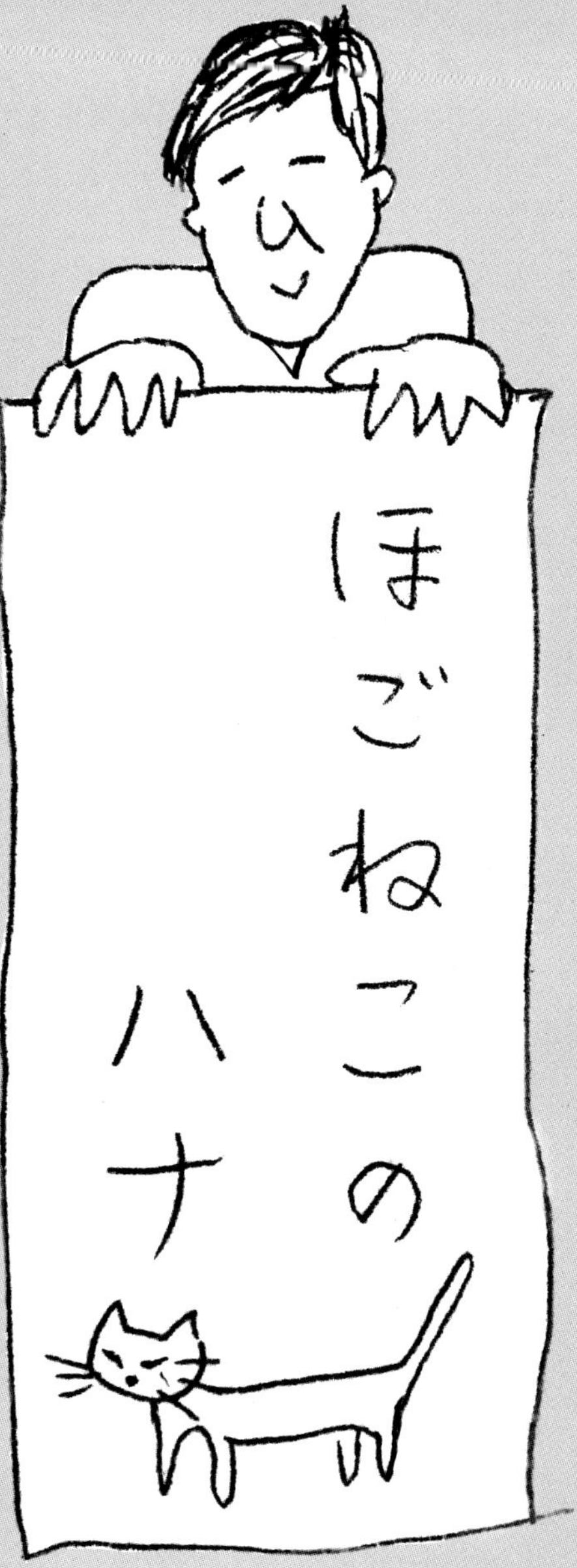
ほごねこのハナ

さむくて、さむくて、たまりません。おなかもペコペコです。3びきの子《こ》ねこは、くらくて、さむい野《の》原《はら》のすみっこ。石《いし》でかこまれたすあなの中《なか》で、

「ニャーニャー（ママ、ママ）」

と鳴《な》いています。ようやく、お母《かあ》さんねこが、小《ちい》さなパンをひと切《き》れ口《くち》にくわえて帰《かえ》ってきました。やせっぽっちのお母《かあ》さんねこ。毛《け》はボサボサで、あちこちケガもしています。ひと切《き》れのパンを、3びきは少《すこ》しずつ食《た》べました。お母《かあ》さんねこの食《た》べる分《ぶん》はありません。つかれきって休《やす》んだお母《かあ》さんねこ。3びきは、お母《かあ》さんねこにぴったりくっついてねむ

ります。やせっぽっちのお母《かあ》さんねこのおっぱいは出《で》なくても、お母《かあ》さんねこにくっついてねむるとしあわせです。くっついているところは、あたたかいのです。お母《かあ》さんねこは、とてもやさしい。自《じ》分《ぶん》の食《た》べものはなくても、3びきの子《こ》ねこのために、ふらふらになりながら食《た》べものをさがしてきます。

つぎの日《ひ》は、とくべつにさむくて、雪《ゆき》がふっていました。お母《かあ》さんねこがいくらさがしても、子《こ》ねこにあげる食《た》べものはなんにも見《み》つけられませんでした。お母《かあ》さんねこは、すあなに帰《かえ》って、3びきの子《こ》ねこをや

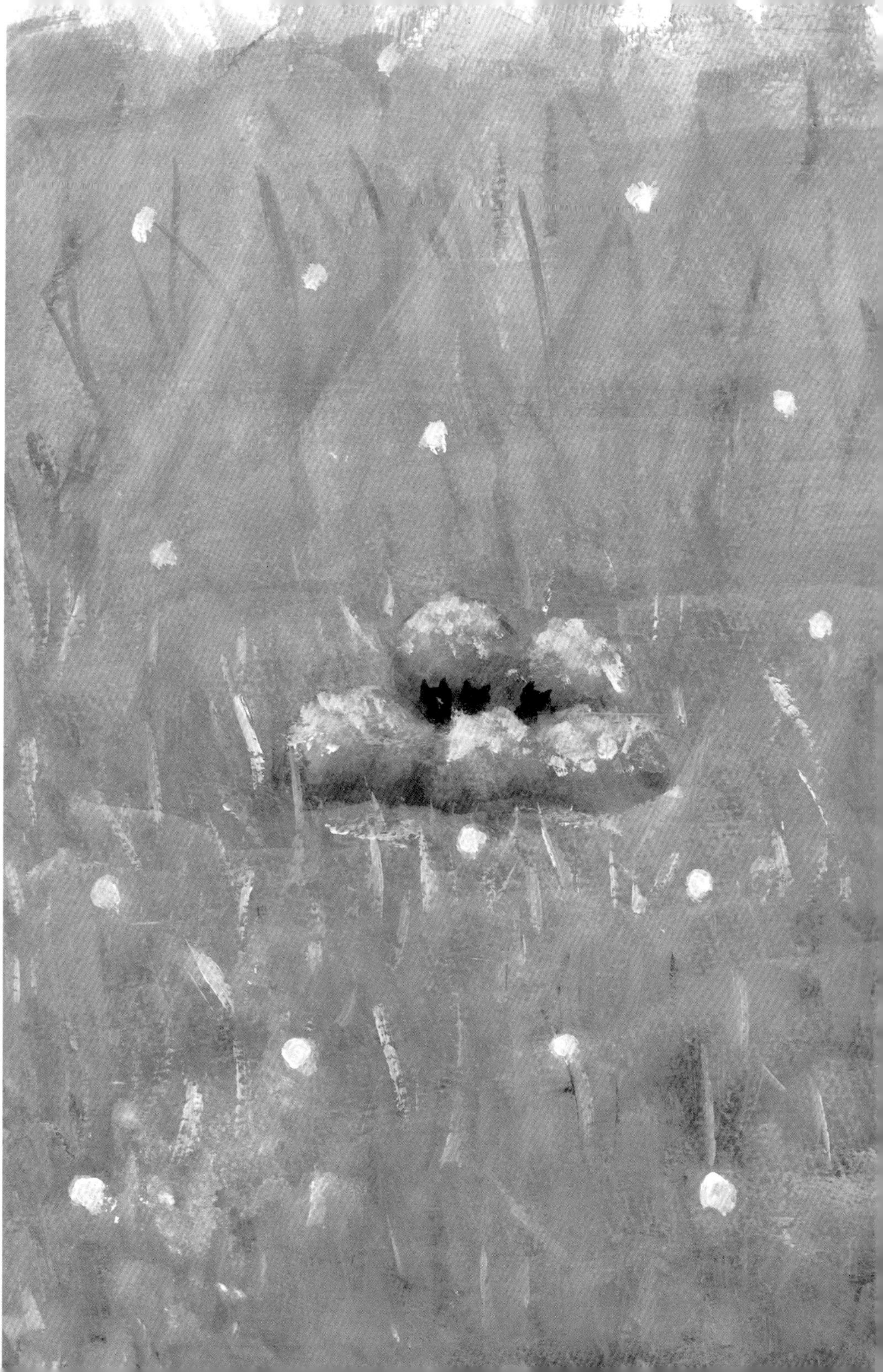

さしくだきよせて、ペロペロなめてあげました。そして、おっぱいをあげました。食《た》べものを見《み》つけられなかったので、もう出《で》ないはずのおっぱいをあげました。すごくがんばったので、おっぱいが少《すこ》しだけ出《で》ました。3びきは、おっぱいをのみながらねむりました。

雪《ゆき》が止《や》んだのでしょうか。石《いし》のすきまからすあなの中《なか》に、お日《ひ》さまの光《ひかり》がさしこんできました。3びきは、まぶしくて目《め》をさましました。でも、お母《かあ》さんねこの目《め》は、とじたままです。

「ニャーニャー（ママ、ママ）」

いくらよんでもお母《かあ》さんねこの目《め》はとじたまま。弱《よわ》りきってしまったお母《かあ》さんねこは、何日《なんにち》もなにも食《た》べていなかったのに、さいごの力《ちから》を出《だ》しきって、子《こ》ねこたちにおっぱいをあげてしんでしまったのです。

3びきの子《こ》ねこたちは「ニャー、ニャー」と鳴《な》くだけです。まだ小《ち》さくて、すあなから出《で》たことはありません。子《こ》ねこたちは、かたまって、お母《かあ》さんねこが目《め》をあけてくれるのをまつだけでした。お母《かあ》さんねこがもう目《め》をあけることがないのは、子《こ》ねこたちにはわかりません。

どのくらい時間《じかん》がすぎたのでしょう。足音《あしあと》がします。人《ひと》の声《こえ》がします。なんだろう……。こわくてたまらない子《こ》ねこたち。でも、弱《よわ》っていて、動《うご》くこともできずに、かたまってふるえていました。すあなをかくしていた石《いし》がどけられて、なにかが、大《おお》きななにかが子《こ》ねこたちをそっともち上《あ》げました。それは、人《ひと》の手《て》でした。子《こ》ねこたちは人《ひと》に会《あ》ったのははじめてで、とてもこわくて（こわいよ、こわいよ）とふるえていました。

でも、だんだんこわくなくなってきました。その手《て》は、

あたたかくて、やさしくて、お母《かあ》さんねこといっしょにいるみたいでした。

子《こ》ねこたちは、あたたかいお部《へ》屋《や》につれていかれました。おいしいミルクをたっぷりのみました。少《すこ》し元《げん》気《き》になって、まわりを見《み》ると、ねこがいっぱいいます。子《こ》ねこたちはびっくりしました。

1ぴきのねこが、子《こ》ねこたちのおしりのにおいをかぎにきました。くんくんくんって。それは、なかよしになろうってことでした。

お母《かあ》さんねこがしんでしまって、すあなの中《なか》でふるえていたのに、ここはあたたかくて、ミルクもあって、ほかのねこがたくさんいます。

ここは〝ほごねこシェルター〟というところでした。ねこをすてたり、いじめたりするこわい人《ひと》もいるけれど、ここはかわいそうなねこたちをほごして、大切《たいせつ》にしてくれるかぞくを見《み》つけてくれるところです。

3びきは、すぐにみんなとなかよしになって、楽《たの》しい毎日《まいにち》をおくっています。かわいい名《な》前《まえ》もつけてもらいました。ハナ、ヒナ、ナナですって。おなかいっぱいミルクをのんで食《た》べものももらって、もうすっかり元気《げんき》に走《はし》りまわっています。
ある日《ひ》、のっぽのおじさんがやって来《き》て、ハナと目《め》が合《あ》いました。おじさんが、

「うちの子《こ》になるかい？」

って言《い》いながら、だっこしてくれました。なんだかよくわからないけれど、ハナはおじさんの手《て》の上《うえ》で、おじさんの顔《かお》を見《み》て、おじさんがすきになりました。おじさんのほっぺにすりすりしました。ハナはこうして、おじさんのかぞくになることになりました。

おじさんの家《いえ》につくと、ちょっとおでぶさんのおばさんがまっていました。お友《とも》だちがたくさんいた〝ほごねこシェルター〟は、とても楽《たの》しかったので、おじさんとおばさんだけの家《いえ》は、なれるまで少《すこ》しさみしかったハナです。ずっといっしょだったヒナとナナとも、はなればなれになってしまって、はじめはしょんぼりしていました。

でも、おじさんもおばさんもハナがだいすきで、ねるときも、あそぶときも、ごはんを食《た》べるときも、いつもいっしょです。

そして、ここはハナがはじめて見《み》るものばかりです。ハナはなんでもおもしろくて、たからものに思《おも》えて、小《ちい》さな口《くち》にくわえて、かくしてしまいました。おじさんのパジャマやおばさんのスリッパも、すぐにかくしてしまいます。

でもね、どんなことをしても、おじさんもおばさんも楽《たの》しそうです。

「ハナちゃん、うれしそうだね」

って、ニコニコして見《み》ています。ハナが元《げん》気《き》に走《はし》りまわっているのが、とても楽《たの》しいのです。あそびつかれたハナは、おじさんのひざでねむるのがだいすきです。おじさんもハナをひざにのせてテレビを見《み》ながら、いつの間《ま》にか、いねむりをしていますよ。

まあくんは
雨がすき

◉笹村 美穂子（ささむら・みほこ）

1946年、東京都に生まれる。

1987年から2000年にかけて、自己流の水彩画個展を東京都国立市にて10回あまり開催する。

縁があり、ささやかな夢でもあった児童書を出版することになった。

二児の母。

「今年47才の息子は、重度の知的障害をもっています。

幼いとき、なにもない部屋のすみや暗い天井を見つめて、楽しそうな声で笑っていることがありました。

この子だけに見えるものがあったのでしょうか。

私は、言葉のないこの子に誰かが楽しいプレゼントをしてくれたのかな、と思っていたものでした」

2020年5月5日　第一刷発行

著　　　者　笹村美穂子

発　行　者　落合加依子
発　行　所　小鳥編集室
〒186-0003
東京都国立市富士見台1-8-15
電話　070-1500-1568（代表）
編　　　集　落合加依子、千葉夏季（小鳥書房）
デ ザ イ ン　嶋田翔伍（烽火書房）
印刷・製本　藤原印刷株式会社

Printed in Japan ISBN 978-4-908582-05-9

息子を通じて出会ったすべての方々に。みなさまのおかげで
息子を愛し続けて生きてくることができました。